HANNAH MONTANA
Verdad o consecuencia

HANNAH MONTANA
Verdad o consecuencia

montena

Título original: *Hannah Montana – Truth or Dare*

Adaptación de M. C. King
Basado en la serie creada por Michael Poryes y Rich Correll & Barry O'Brien
La primera parte está basada en el episodio escrito por Lisa Albert
La segunda parte está basada en el episodio escrito por Howard Meyers

D. R. © 2007, Random House Mondadori, S. A. de C. V.
    Av. Homero Núm. 544, Col. Chapultepec Morales,
    Del. Miguel Hidalgo, C. P. 11570, México, D. F.

www.randomhousemondadori.com.mx

Traducción al español: Laura Canteros

ISBN: 978-970-810-273-5

Impreso en México / *Printed in Mexico*

Esta obra se terminó de imprimir en marzo de 2008
en los talleres de Litográfica Ingramex, S.A. de C.V.
Centeno 162-1, Col. Granjas Esmeralda,
C.P. 09810 México, D.F.

PRIMERA PARTE

Capítulo uno

Mientras Miley Stewart miraba la pantalla de su computadora portátil, prácticamente podía escuchar los latidos del corazón de Lilly, su mejor amiga. Lilly era la confidente e inseparable compañera de Miles, y en ese momento estaba leyendo por sobre el hombro de su amiga.

—¡Todo esto es tan *cool*! —exclamó Lilly entusiasmada—. Es increíble la cantidad de gente que le manda e-mails a Hannah Montana.

En apariencia, Miley era una estudiante promedio de octavo año. Pero Miley, la juiciosa estudiante de los primeros años de secundaria, durante el día tenía un secreto. También era Hannah Montana, la súper estrella pop. Muy pocas personas sabían que Miley era la chica normal que estaba detrás de los impresionantes disfraces de la megaexitosa Hannah. Lilly era una de esas personas.

Miley leyó en voz alta el contenido de la pantalla de su computadora:

—"Querida Hannah: tú haces vibrar al mundo. Jill de Milwaukee". ¡Qué dulce! "Querida Hannah: ¡eres sensacional! Danny, Ciudad de Iowa". *Cool*. "Querida Hannah: descuelga tu corpiño de la barra de la ducha. Jackson, de Malibú". ¿Quééé? ¿Jackson de Malibú? ¡Qué raro! —Miley vivía en Malibú, tenía un hermano llamado Jackson y...

¡Ufa!

Jackson, el hermano de Miley, salió de la ducha sin secarse y apareció en la sala chorreando agua. Balanceaba el corpiño de Miley en el dedo índice de la mano derecha.

—¡Hablo en serio! —protestó y dejó caer el corpiño junto a Miley.

Miley se estremeció.

—¡Lo tocó! Ahora voy a tener que quemarlo —se quejó mientras desviaba la mirada para indicar que estaba muy molesta. Con ayuda de un abrecartas, Miley tomó el corpiño y lo dejó caer en la papelera.

Lilly seguía leyendo las cartas de los fans de Hannah:

—"Querida Hannah: Me gusta mucho, mucho, mucho esa bufanda que usaste para la entrega de premios a los videos. ¿Dónde, dónde, dónde puedo conseguir una igual? Jenny de Walla Walla, Washington".

Miley se esforzó por recordar qué bufanda había usado para la entrega de premios… Ah, sí, era ésa tan espectacular en color naranja. Ya había perdido la cuenta de la cantidad de ropa que recibía como obsequio por ser Hannah Montana.

Miley abrió el siguiente e-mail.

—Escucha esto —le dijo a Lilly—. "Querida Hannah: me derrito por un chico que ni sabe que existo". Esta carta era un poco más jugosa que el resto.

—Típico —gruñó Lilly, quien tenía su propio anecdotario de sentimientos no correspondidos.

Miley siguió leyendo:

—"Su armario está separado del mío por otros tres. ¿Qué puedo hacer? Tu fan núm. 1. Becca de Malibú".

¿Malibú? Miley se preguntó si no sería otra broma de Jackson. No, un momento, Becca de Malibú, el nombre le resultaba conocido…

Al parecer, Lilly también pensaba así.

—¿No crees que podría ser Becca Weller, de nuestra clase? —preguntó asombrada.

"Hmmmm", pensó Miley. "¿Becca es mi fan número 1? Siempre lleva camisetas de Hannah Montana. Pero hay muchas otras personas que también las llevan...". Y en ese momento, Miley se situó mentalmente frente al armario de Becca: si no se equivocaba, estaba empapelado con diversos artículos de Hannah Montana: stickers, pósters, fotos. Miley recordaba que se había impresionado mucho con la colección de Becca, que incluía algunos objetos exclusivos...

Según decía Becca en su carta, el armario del chico que le gustaba se encontraba a tres de distancia del suyo. Miley recorrió mentalmente la hilera. Llegó al armario de Sandy Stringfellow, también conocida como "la reina del hilo dental" por sus hábitos de limpieza bucal. No podía ser. Entonces contó tres puertas en dirección opuesta. "Imposible", pensó. ¿Era…?

Ese armario pertenecía a Oliver Oken, uno de los mejores amigos de Miley y Lilly. Miley tenía que haberse equivocado al contar. Hizo un esfuerzo para concentrarse. Uno, dos, tres… Una vez más llegó hasta Oliver. Podía imaginarlo frente a su desordenado armario mientras revolvía el estante interno y sacaba un caramelo a medio comer que luego se llevaba a la boca.

Al parecer, Lilly había llegado mentalmente al mismo lugar porque las dos chicas emitieron un grito escandalizado al mismo tiempo:

—¡Oliver!

Miley no salía de su asombro.

—No lo puedo creer. A Becca Weller le gusta Oliver.

Aunque Lilly quería mucho a Oliver, le costaba imaginar que alguien pudiera enloquecer por él. ¿Tendría Becca Weller algún problema mental?

—Pobrecita —comentó al recordar la época de quinto grado, cuando aprendían a hacer equilibrio en las barras paralelas—. Nunca se recuperó por completo de esa caída en la clase de gimnasia.

Mientras tanto, Miley meditaba sobre el consejo que le daría a Becca. "Oliver es un tanto distraído para darse cuenta de que le interesa a alguna chica", pensaba. "Nunca dará el primer paso." Sólo quedaba una posibilidad. Y redactó el e-mail. "Querida Becca: si el chico no te invita a salir, invítalo tú. ¡Sacude su mundo! Besos. Hannah Montana."

Miley releyó el e-mail muy contenta. Le encantaba decirle a las chicas que tomaran la iniciativa. Al fin de cuentas, así actuaría Hannah Montana. "Hagamos del mundo un lugar mejor para el amoooor…", cantó Miley alegremente. Y pulsó el botón de ENVIAR.

En ese momento, Jackson, que ya se había secado, entró en la sala. Llevaba una bata de baño muy pequeña para su contextura.

—Mi bata se cayó al inodoro, y por eso me puse la tuya. Espero que no te moleste —dijo mientras se rascaba el trasero.

La sonrisa de Miley se evaporó.

—¡Ahora voy a tener que quemar también la bata!

Capítulo dos

A la mañana siguiente, en la escuela, Miley y Lilly buscaron por todas partes a Becca Weller. Por fin la encontraron junto a su armario. ¡Y a tres armarios de distancia estaba Oliver! Miley volvió a contar, sólo para estar segura. Sí, no había ninguna duda. A Becca le gustaba Oliver.

Las chicas observaban a Becca como científicas frente a un ratón de laboratorio. La vieron introducir en el armario el contenido de su mochila: primero un libro de texto, luego tres cuadernos, luego su PDA (con seguridad la usaba para enviar e-mails a Hannah Montana, acotó Miley).

Prestaron atención a cada uno de sus movimientos: la manera en que Becca se acomodaba el pelo detrás de la oreja, la manera en que se masajeaba el labio inferior luego de aplicarse protector labial, la manera en que giraba en dirección a Oliver y deslizaba la mirada de arriba abajo varias veces, desde la cabeza a las suelas de goma de sus zapatillas, como si quisiera aprender cada detalle de memoria. "¡Clásico examen visual!", pensó Miley y le dio un codazo a Lilly.

—¿Viste eso? —le preguntó en voz apenas audible—. Lo acaba de escanear.

—Interés absoluto —asintió Lilly.

Observaron que Becca se perfumaba y luego avanzaba en dirección a Oliver.

—¡Uuuy! —chilló Lilly, impresionada por la audacia de Becca—. Ola de perfume.

—¡Primero lo ves y luego lo hueles! —bromeó Miley—. Todo lo contrario de mi tío Earl.

Siguieron observando mientras Becca se acercaba a Oliver y le daba un golpecito en el hombro. Miley pudo advertir que Oliver sacudía su huesudo hombro.

—Eh… hola —dijo Becca—. ¿Tienes la tarea de Historia? Me olvidé de copiarla.

Oliver estaba hablando con otro chico. Y se sintió molesto por la interrupción.

—No, pero el señor Aaron siempre la anota en el pizarrón —respondió distraídamente.

—Ah, bueno. Voy a… —antes de que Becca pudiera terminar la frase, Oliver le había dado la espalda—… fijarme. Gracias.

Miley sintió vergüenza ajena. Sabía que Oliver no tenía nada en contra de Becca, pero su actitud había sido bastante brusca.

Miley no solía entrometerse. No le parecía correcto. De hecho, siempre estaba demasiado ocupada como para tomar el papel de Cupido entre los alumnos de la escuela. Ser una súper estrella pop significaba una súper demanda de tiempo. Pero al saber cómo se sentía Becca, Miley creyó que no podía limitarse a observar cómo Oliver la rechazaba. No se trataba de una intromisión. Era una buena acción. Para ayudar a una fan, nada menos. Tal vez a su fan número 1…

Apenas la triste y rechazada Becca se dirigió a la clase, Miley y Lilly encararon a Oliver.

—¿Puedes venir un momento, Oliver? —le preguntó Miley con su voz más dulce y musical. Luego se volvió hacia el chico con quien estaba hablando y le dijo en tono más formal:

—Discúlpanos.

Miley le dio una palmada a Oliver en el mismo hombro donde Becca lo había tocado con más suavidad. Esta vez el chico acusó el golpe.

—¿Qué te pasa? —le preguntó Miley.

—¡Ay! ¿Qué hice? —Oliver la miró sorprendido mientras se frotaba el hombro.

—¿No te diste cuenta de que Becca Weller quería charlar contigo?

—¿Qué? —preguntó Oliver, anonadado.

Lilly le dio una palmada en el otro hombro.

—¡Ganso! ¡Hasta un sándwich de queso tostado se hubiera dado cuenta!

Oliver se dispersaba con facilidad, sobre todo cuando se mencionaba algo comestible.

—¿Hoy sirven sándwiches de queso tostado en la cafetería? —preguntó entusiasmado.

Esta vez, Miley y Lilly le palmearon los hombros al mismo tiempo. ¡Todo el mundo sabía que los chicos son muy torpes para relacionarse con las chicas, pero Oliver era increíble! Miley intentó contener su furia mientras le explicaba que Becca siempre obtenía 10 en sus calificaciones y que ya sabía cuál era la tarea de Historia. Era obvio que no necesitaba preguntarle a él.

Oliver se encogió a la espera de lo inevitable.

—Entonces, ¿por qué me la pidió? ¡Y no vuelvan a pegarme! —dijo en un tono que mezclaba advertencia con súplica.

¡Esto superaba lo tolerable! ¿Qué debía hacer Miley? ¿Pegarle? Un momento, ya lo había intentado…

—Porque le gustas —le informó en un tono que significaba "a ver si te despiertas".

—¿Cómo sabes?

Además de Lilly, Oliver era el único amigo que conocía la vida secreta de Miley como Hannah Montana. Miley se lo recordó.

—¿No habrás olvidado tu juramento sellado con saliva para no revelar mi otra identidad?

—Sí —asintió Oliver con una mueca—. Y gracias a eso contraje un resfrío.

—Bueno, comienza a preparar remedios caseros porque voy a revelarte otro secreto —le dijo Miley. Luego se detuvo, abrió la mano y escupió en la palma.

De mala gana, Oliver extendió la mano y giró la cabeza mientras estrechaba la mano de Miley. No quería mirar porque le daba mucho asco.

—Ojalá nunca hubiéramos superado la etapa del juramento con los meñiques entrelazados —murmuró entre dientes.

Miley miró en todas direcciones para asegurarse de que no había moros en la costa y luego susurró:

—Becca le envió un e-mail a Hannah Montana. Dice que tú le gustas muchísimo.

Por fin, se había hecho la luz para Oliver. Y se señaló a sí mismo para corroborar que el "tú" a quien se refería Miley era él.

—¿Becca Weller está interesada en mí? ¿En mí?

—Te comprendo. A nosotras también nos sorprendió —admitió Lilly.

Oliver dedicó unos minutos a reflexionar sobre la noticia y luego esbozó una amplia sonrisa. De pronto, parecía exaltado.

—Así que… Becca Weller quiere dar un paseo en el Olliebús. Allí voy, para hacer realidad sus sueños —dijo mientras se dirigía a la cafetería, y para darle más efecto, hizo el gesto de tocar la campanilla para detener un ómnibus imaginario—: ¡Ring, ring!

Las chicas miraron a Oliver, que se alejaba orgulloso. Miley se preguntaba si no habría subestimado a su amigo. Se veía muy entusiasmado ante la perspectiva de dar el primer paso. Sin embargo, pocos minutos más tarde regresó arrastrando los pies.

—Me olvidé —dijo avergonzado.

—¿Qué? —preguntó Miley.

—¡Mi nombre! Creo que rima con autobús…

Y se fue, vencido, a reflexionar sobre lo que
había pasado.

—Con la inteligencia que le falta a ese chico,
otro sería Einstein —dijo Miley con una sonrisa.

Capítulo tres

Esa tarde, un cabizbajo Oliver se encontró con el hermano de Miley, Jackson, y su amigo Cooper en Rico's, un bar de playa. Necesitaba un poco de interacción masculina para aliviar su ego herido.

—No te entiendo, hombre. ¿Qué le pasó al Fabuloso Oliver Oken? —preguntó Cooper, que estaba sentado frente al mostrador mientras Jackson, que trabajaba allí después de clase, limpiaba la superficie.

—Me quedé totalmente paralizado.

Oliver sintió que con sólo recordarlo se le iba el alma a los pies. Estaba desesperado por comprobar que no era el único perdedor de los alrededores y preguntó a Jackson:

—¿Te pasó algo así alguna vez?

—¿Si me pasó algo así alguna vez? —preguntó Cooper y casi se atragantó con una risotada.

Bueno, entonces tal vez no fuera el único, pensó Oliver. Pero sus esperanzas de oír una lacrimógena historia solidaria contada por Jackson pronto se vieron frustradas.

—Jamás me pasó algo así —dijo Jackson con tono indiferente.

En ese momento, Robby Stewart, el papá de Jackson y Miley, entró corriendo.

—Dame una botella de agua, hijo —pidió sin aliento—. Te aseguro que no hay nada mejor que correr quince kilómetros por la playa. Algún día sabré cómo se siente alguien después de eso.

Luego se volvió hacia Oliver.

—Hola, amigo, Miley me contó que el Ollie-bús sufrió un pequeño desperfecto.

¡Qué rápido corrían las noticias en Malibú!

—Ay, no. ¿Por qué no lo publican directamente en el diario? —dijo Oliver, molesto.

—Mira, no hay por qué avergonzarse —dijo el señor Stewart con el característico tono de "papá lo sabe todo"—. ¿Quieres saber cómo conseguí mi primera cita? Fui derecho hacia la chica, la miré fijamente a los ojos y dije: "Me Robby llamo hola".

"Al menos podía recordar su nombre", pensó Oliver. Todavía. La anécdota del señor Stewart le dio una pizca de alivio.

—¿Y funcionó? —preguntó Oliver, esperanzado.

—Como por arte de magia —lo tranquilizó el señor Stewart—. Algunas veces no se trata de lo que le dices a una mujer, sino de tener el valor para decir algo. Con toda naturalidad, amigo.

En ese momento apareció un camión que vendía helados. La melodía publicitaria que emitía, irritante para todo el mundo, era música celestial en los oídos del señor Stewart.

—Ahora, si me disculpas, creo que corrí lo suficiente como para merecer una mousse helada —le dijo a Oliver. Y se fue en busca de su trofeo de chocolate mientras Oliver reflexionaba sobre su consejo.

Entretanto, Jackson debía librar sus batallas personales: acababa de llegar Rico.

—Hola, Jackson —dijo Rico con tono diabólico.

—Hola.

—Quiero comer alitas de pollo —dijo Rico, si

bien sabía que en el restaurante de su familia no se servía ese plato.

—No tenemos alitas de pollo —respondió Jackson mientras se preguntaba qué tramaba Rico.

—Bueno, pero deberíamos tener.

—Bueno, pero no tenemos. Vamos, Rico, ¿por qué tienes que ser siempre tan caprichoso? —le preguntó Jackson, que estaba agotado luego de un día de escuela y trabajo y no tenía ganas de discutir.

—Si no se lo digo a mi terapeuta por doscientos dólares la hora, ¿por qué tendría que decírtelo a ti? —replicó Rico—. Y con respecto a las alitas de pollo, ¿qué apellido aparece en ese cartel?

—El tuyo.

Cooper comenzó a contar los tantos.

—Punto a su favor —dijo y señaló a Rico.

—¿Y al padre de quién pertenece este lugar?

—Al tuyo —suspiró Jackson.

—Dos puntos —contó Cooper.

—¿Y el padre de quién te dijo que mantengas contento a Rico? ¿Te parece que estoy contento? —Rico adoptó una expresión de tristeza digna de un payaso.

—Tres puntos seguidos: ¡ta-te-ti! —exclamó Cooper.

Jackson ya no soportaba más.

—¿Qué condimento quieres para tus alitas? ¿Suave, mediano o picante?

Cuando Rico emitió un jubiloso "¡picante!", Jackson se arrastró hacia la cocina con el deseo de ser quien diera las órdenes, al menos por una vez.

Al día siguiente en la escuela, Miley y Lilly revisaban su trabajo. Algo no estaba del todo bien. ¿Qué era? ¿La camisa? No, la camisa era muy *cool*.

¿Las zapatillas? No, no había problema. ¿El pelo? Sí, eso era. Miley inspeccionó el desastre y tomó una decisión. Puso las manos sobre la cabeza de Oliver y las frotó como si acariciara a un peludo cachorro de viejo pastor inglés.

—Un mechón más y estás listo para encontrarte con Becca —le dijo—. Así. Lo suficientemente desordenado como para dar a entender "soy un animal salvaje, pero me puedes domesticar".

El paso siguiente consistía en un control de aliento. Lilly le pidió a Oliver que abriera bien la boca, aspiró un segundo y le vaporizó desodorante bucal. Al menos, ésa era su intención… Oliver comenzó a toser y luego creyó que iba a vomitar. Miró a Lilly con los ojos desorbitados y una expresión de reproche.

—¡Me pusiste perfume! —gritó.

Lilly miró el envase, se disculpó y volvió a olfatearle la boca.

—De todas maneras, sirve —dijo mientras se encogía de hombros—. ¿Estás listo?

—¡Estoy listo! —exclamó Oliver como si fuera un jugador de fútbol y Lilly y Miley, sus entrenadoras.

—¿Estás convencido? —preguntó Miley.

—¡Estoy convencido! —respondió Oliver.

—¿Eres el hombre de sus sueños? —preguntó Miley.

—¡SOY EL HOMBRE DE SUS SUEÑOS! —aulló Oliver.

Había llegado el momento.

—¡Vete, vete, vete! —exclamó Miley.

Esta vez, mientras Oliver se dirigía a la cafetería, Miley y Lilly lo siguieron a distancia prudencial.

* * *

Oliver estaba entusiasmado. Tenía confianza en sí mismo. Llevaba un peinado original. Su aliento recordaba a una florería. Y, bueno, si el señor Stewart había conseguido una cita con la frase "Me Robby llamo hola", Oliver sería capaz de hacer algo semejante.

No, podría hacer algo mucho mejor...

Infló el pecho, aspiró hondo y siguió adelante.

Becca le sonrió en el preciso instante en que lo vio.

—Hola, Oliver —lo saludó alegremente.

Era ahora o nunca. Oliver se puso nervioso, aunque se sentía preparado. Miró la encantadora y radiante cara de Becca y dijo:

—Me Robby llamo hola.

¡Uuuy!

Quiso salir corriendo. Escapar. Simular que

nada de esto había pasado. Pero entonces vio a Lilly y Miley con el rabillo del ojo. ¿Qué pensarían si tomaba esa actitud? ¡De ninguna manera! Nada de eso iba a pasar. Debía arriesgarse. ¡Al fin de cuentas, Becca estaba interesada en él! Oliver alzó un dedo como si pidiera un momento de tregua y luego volvió a intentar. Esta vez el resultado fue un poco mejor.

—Me Oliver llamo hola —dijo.

No estuvo perfecto, pero Becca captó la onda.

—¿Quieres invitarme a salir? —preguntó con una preciosa sonrisa.

—Sí. Guau. Durante un segundo sentí que deliraba.

Se volvió hacia Lilly y Miley, que permanecían expectantes en un rincón de la cafetería, y les hizo un gesto con el pulgar hacia arriba. Ellas lo felicitaron por señas.

Miley observó que hacían una linda pareja y pensó que nada era tan satisfactorio como intervenir en casos semejantes, sobre todo si podía ayudar a un buen amigo…

Capítulo cuatro

Una cosa era que Rico hubiera obligado a Jackson a cocinar alitas de pollo. Otra cosa muy distinta era que Rico lo obligara a usar un traje de pollo y a cantar una canción. Una canción demasiado estúpida.

Todo era culpa de Cooper. Y había empezado el día anterior: por la tarde, estaban en la playa y Rico fanfarroneaba sobre cuánto le había gustado a su papá la idea de las alitas de pollo.

—¿Quieren oír mi próxima idea? —preguntó.

—Vamos, hombre, ¿no tendrá que ver con él y un traje de pollo? ¿O sí? —bromeó Cooper mientras señalaba a Jackson con un dedo.

—¡Ahora sí! —respondió Rico malévolamente.

Y ahora, un día después, allí estaba Jackson, sudando dentro de un grueso traje de plumas y cantando: "¡Todos a bailar, todos a cantar, alas de pollo gratis todos quieren probar!".

Un aspecto tan ridículo como el que tenía Jackson y una canción tan estúpida sólo podrían servir para alejar a todo el mundo del bar. ¡Y sin embargo no dejaban de venir! ¡Y seguían llegando! Hasta que en un determinado momento Jackson se vio rodeado por una multitud.

—¡Hey! ¡Despacio! ¡Atrás! —gritaba. Poco después, cayó sentado con un canasto vacío de alitas de pollo sujeto entre sus… alas de pollo.

Entre el remolino de plumas sueltas que flotaban a su alrededor, vio que Rico se detenía a su lado con un teléfono celular con cámara fotográfica en la mano.

—No, no, no. ¿Así que duermes la siesta en horario de trabajo? A papá no le va a gustar nada saberlo.

Y en ese momento, Rico enfocó el cuerpo tendido de Jackson con la cámara y tomó una fotografía.

¿Cuánta humillación podía soportar un pollo?

Capítulo cinco

La única razón por la que Oliver había conseguido una cita con Becca Weller era gracias a Hannah Montana. Y sin Miley, Hannah Montana no existía. Entonces, por propiedad transitiva de algo que había mencionado su profesor de álgebra y cuyo nombre no lograba recordar, Miley dedujo que Oliver tenía la obligación de contarles a ella y a Lilly hasta el último detalle de su cita.

Lo encontraron en su lugar habitual junto a los armarios. Sin perder un segundo, comenzaron a acribillarlo a preguntas.

—¡Oliver! ¿Qué hicieron Becca y tú en el centro comercial ayer? —le preguntó Miley.

—¡Sí, vamos! ¡Mueve esos labios! —agregó Lilly.

Oliver sonrió con expresión maligna.

—Lo lamento, no hablo mientras estoy besando.

Miley no podía creer lo que oía.

—¿Se besaron?

—¡Habla! —ordenó Lilly.

—Tengo los labios sellados —insistió Oliver y, para demostrarlo, abrió su armario e introdujo allí la cabeza. Sin embargo, no pudo contenerse y comenzó a hablar a toda velocidad.

—¡Ella piensa que soy divertido, inteligente y sensible! ¡Fue el mejor día de mi vida!

Sacó la cabeza del armario y, con dos dedos sobre los labios, simuló cerrar una cremallera como para dar a entender que no hablaría más.

—Cierre de seguridad —les advirtió. Se alejó unos pasos, luego se detuvo, giró hacia sus amigas y susurró un dulce "gracias".

Miley apenas podía contenerse.

—¡Es súper alucinante! —exclamó cuando Oliver ya no podía escucharla—. Una vez más, Hannah Montana hace del mundo un lugar mejor para el amooor…

—Becca estará muy entusiasmada —comentó Lilly—. Me pregunto si ya le habrá dado las gracias a Hannah. Revisa tu correo.

Miley se sonrojó. Luego extrajo su PDA del bolsillo. Tenía curiosidad por conocer también la versión de Becca sobre la cita.

—Bueno, no lo hago para que me lo agradezcan. Vamos, niña, transmite tu energía electrónica —dijo mientras se conectaba a la cuenta de correo electrónico de Hannah. Sí, había algunos mensajes nuevos.

—Ah, ahí está —dijo Miley y comenzó a leer en voz alta para Lilly el último e-mail de Becca—: "Querida Hannah: gracias por tu grandioso consejo…".

Lilly continuó leyendo por sobre el hombro de Miley:

—"…Por desgracia, tengo que cortar con ese chico a quien le gusto de verdad".

Las chicas intercambiaron una mirada que significaba "atención".

—"Es una persona genial, pero debo decirle que sólo quiero que seamos amigos" —leyó Miley, que no esperaba algo semejante. Y exclamó—: ¡Piensa cortar con Oliver!

Lilly tampoco podía creerlo.

—¿Sólo un día después?

—Sí —dijo Miley. Sus sentimientos eran una mezcla de asombro y tristeza, sin contar la vergüenza que sentía por Oliver. ¡Era horrible que lo dejaran cuando sólo había transcurrido un día! Y no podía evitar sentirse un poco culpable. ¡Nada de esto hubiera ocurrido sin su intervención! Para demostrar su inquebrantable optimismo, intentó desesperadamente encontrar el lado positivo de la situación.

—Tengamos en cuenta los resultados —le dijo a Lilly—. Oliver nunca tuvo una relación más larga.

No se le ocurrió nada mejor para decir.

Capítulo seis

En la cabeza de Miley reinaba una confusión total.

—No entiendo nada. A Becca le encantaba Oliver. Y él pensó que todo iba muy bien… ¿Por qué querría ella cortar con él?

Tan pronto como se abrieron las puertas de la cafetería, Miley tuvo la respuesta a su pregunta. Allí, en una mesa del rincón, estaba Becca absorta en una animada conversación con otro chico. Miley pudo advertir que era un chico muy atractivo. Y que estaban tomados de la mano…

—Miren a la tramposa —gruñó.

Antes de que a Miley y Lilly se les hubiera ocurrido qué hacer, Oliver entró en la cafetería con aire triunfante. Parecía tan feliz, tan alegre. Miley quería evitar por todos los medios que viera aquello que ellas acababan de ver. Como siempre, ella y Lilly coincidían en sus ideas: enseguida lo vieron, lo tomaron cada una de un brazo y le hicieron cambiar de dirección.

—Ni se te ocurra entrar allí —le advirtió Lilly.

A Miley no le gustaba mentir, pero recurría a una mentira si era imprescindible.

—Hubo una gran explosión de comida —le dijo a Oliver mientras salían de la cafetería—. Es horrible. Hay atún por todas partes.

Pero Oliver se mostró escéptico.

—¿Qué estás haciendo? —le preguntó.

"Bueno", pensó Miley, "tal vez sea mejor terminar con esto de una vez". Y habló con toda sinceridad.

—Tienes que cortar con Becca.

—¡¿Qué?! —Oliver la miró atónito.

—Confía en nosotras —le dijo Lilly—. Vas a tropezar con algo malo.

—Con algo muy malo —confirmó Miley—. Como si caminaras descalzo por un campo después de la evacuación matutina de las vacas.

Miley se había mudado a Malibú desde Tennessee hacía poco tiempo y algunas veces Lilly y Oliver no llegaban a comprender de qué hablaba. Se habían acostumbrado a sus expresiones graciosas, pero esta frase era un verdadero enigma. Ambos la miraron desconcertados.

—¿Qué pasa? ¿Nunca lo escucharon? —preguntó Miley e inmediatamente retomó el tema—. Oliver, Becca le envió un e-mail a Hannah. Dijo que sólo quiere ser tu amiga. Lo siento.

Oliver la miró con incredulidad. Parecía que los ojos se le iban a salir de las órbitas.

—Es verdad —le confesó Lilly—. Ya se consiguió a otro.

Las chicas acompañaron a Oliver a la cafetería para que lo comprobara. Becca seguía allí, tomada de la mano del chico en cuestión. Oliver mostró su disgusto.

—No entiendo. Íbamos a encontrarnos en la playa esta tarde.

Y, de pronto, se le ocurrió algo.

—Ay, no. Va a cortar conmigo en la playa.

Miley no sabía qué decir. ¿Cómo podría ayudar a Oliver a sentirse mejor?

—¡Bueno, no lo sabes con seguridad! —lo contradijo—. Quiero decir, podría cortar contigo en el autobús, en el centro comercial, en el recreo… incluso podría enviarte un mensaje de texto.

"No", se dijo Miley, "no era eso lo que debía decir".

—En primer lugar, ¿por qué me dijeron que ella estaba interesada en mí? —preguntó Oliver. ¡Su asombro se había transformado en enojo con ambas! Y agregó con tono acusatorio—: ¡Tú y tu estúpido correo de Hannah con sus consejos! ¿Por qué no te conformas con cantar y hacer tus bailecitos?

Y se fue, luego de parodiar a un asistente del equipo de Hannah Montana.

"Ay", pensó Miley, "eso me dolió".

Capítulo siete

Miley estaba de malhumor. Y lo último que quería escuchar cuando estaba de malhumor era una canción alegre. Sobre todo si era una canción que podía llegar a cantar.

Cuando volvió a su casa desde la escuela, su papá la saludó a la entrada con una guitarra en la mano.

—Hola, Mile. Estoy trabajando en una nueva melodía para Hannah —le dijo con entusiasmo—. Siéntate y dime qué opinas.

Era la canción más alegre que Miley hubiera escuchado jamás. Y la única manera que se le ocurrió para expresar su opinión consistió en tomar un almohadón, hundir la cara en él y chillar.

Estuvo chillando durante un rato. De hecho, la sorprendió el efecto positivo.

En cuanto se calmó lo suficiente como para poder hablar, le explicó a su papá que no tenía nada en contra de la canción. Luego le contó lo que ocurría.

—Usé la columna de consejos de Hannah para ayudar a Oliver a encontrarse con una chica y terminé empeorando todo.

En ciertos casos, el señor Stewart podía ser muy franco.

—Entonces, supongo que debes asumir tu culpa —fue su respuesta.

Y en ciertos casos, Miley solía preguntarse qué pasaba por la cabeza de su papá.

—Guau, no deberías decir eso. Deberías decir que actué con buenas intenciones y que no tengo que ser tan dura conmigo.

Su papá obedeció.

—Muy bien, no seas tan dura contigo.

¿Qué le pasaba?

—¿Cómo puedes decir eso? —exclamó Miley—. Me entrometí y ahora Oliver está muy triste. No puedo lavarme las manos como si no pasara nada.

—Muy bien, estás castigada —dijo su papá. Su actitud no parecía demasiado estricta.

—¡No! —en la voz de Miley había una nota de frustración—. Éste es el momento en que tú me abrazas y dices: "Todo se va a arreglar, tesoro".

¿Era necesario que Miley le indicase todo?

Pobre señor Stewart. Ya no sabía qué hacer para apaciguar a su hija.

—Mile —le dijo con su tono más sereno—, intentaste hacer algo. No salió bien —luego observó la cara de desaliento de su hija y agregó—: Todo se va a arreglar, tesoro.

Miley abrazó a su padre y suspiró con tristeza. Mientras lo miraba alejarse, tomó una decisión: no volvería a interferir en asuntos ajenos.

Segundos después de la partida del señor Stewart, llegó Lilly a la casa de Miley. Venía arrastrando una cuerda.

—¿Qué tal? —saludó Lilly.

—¿Viste a Oliver? —preguntó Miley.

Al parecer la respuesta era "sí", porque cuando Lilly tiró de la cuerda, apareció Oliver. Estaba sobre una patineta.

—Detesto mi vida, detesto mi vida, detesto mi vida... —repetía.

Al oír que su amigo hablaba con tanta tristeza, Miley sintió una puntada en el corazón. Lilly no se mostraba tan comprensiva. Tal vez porque había escuchado las mismas palabras durante la última media hora.

—¡Ya es suficiente! —le ordenó—. ¿Cuántas veces tengo que decírtelo? Corta con ella antes de que ella corte contigo.

Miley suspiró con culpa. Al fin de cuentas, ella era la responsable de que Oliver se sintiera así. Reunió toda su energía para hablar con el tono más convincente posible.

—Lilly tiene razón. Es decir, intentaste hacer algo que no salió bien.

Necesitaba decir algo para ayudar a Oliver, para estimular su ego. Inspiró hondo y agregó de la manera más alentadora que se le ocurrió:

—Seguramente conocerás a muchas otras chicas que sepan valorarte.

Al parecer, las palabras de Miley surtieron efecto. Cuando terminó de hablar, Oliver tenía un aspecto mucho más animado.

—¡Tienes razón! ¡Voy a cortar con ella! —exclamó y, sin decir nada más, se fue patinando.

¡Uf! Decirle la verdad a Oliver había sido difícil pero ahora se sentía aliviada. Y se le había pasado el malhumor por completo. Si no hubiera sido así, no estaría en condiciones de disfrutar de su hermano mayor, Jackson, que bajaba la escalera sigilosamente con sus pies emplumados. Llevaba un… ¿qué? Jackson iba vestido… ¡con un traje de pollo! La máscara hacía equilibrio sobre su frente como si fuese una visera.

—¿No es grandioso ser una estrella pop? —dijo con sarcasmo—. ¿Adivina qué cosa no quiero para cenar?

¿Hamburguesas?, le hubiera gustado decir a la parte menos inocente de la personalidad de

Miley. Pero antes de que pudiera intentarlo, Jackson se fue dando un portazo. Luego miró a Lilly, que presionaba un botón tras otro en la PDA de Miley.

—¿Qué haces? —le preguntó.

—Voy a decirle con toda claridad a esa Becca lo que piensa Hannah Montana de su actitud —respondió Lilly.

—Ni se te ocurra. Hannah ya ha causado demasiados problemas.

Lilly ignoró a Miley. Ya se había conectado a la cuenta de e-mail de Hannah Montana.

—Uy, mira, Becca volvió a escribir. Muy oportuno.

Miley le quitó la PDA de un manotazo. Necesitaba ver personalmente el mensaje de la traicionera Becca. Lo leyó en voz alta.

—"Querida Hannah: Tenías razón. Oliver es el chico perfecto para mí".

Atención.

—"Por eso, hoy en la cafetería corté con mi novio anterior, Toby…".

Un par de segundos después, la información hizo impacto.

—¡Es el chico que la tomaba de la mano! —exclamó Lilly con expresión horrorizada.

—"A Toby le costó bastante aceptarlo. Pero ahora nada impide que Oliver y yo estemos juntos".

Miley y Lilly se miraron boquiabiertas.

—¡Siempre y cuando Oliver no corte con ella! —chilló Lilly—. ¡Tenemos que impedirlo!

—¿Y qué estamos esperando? —gritó Miley—. ¡Vamos!

¿Alguien recordaba la decisión de no volver a interferir en los asuntos de los demás…?

Capítulo ocho

Una cosa era que Rico obligara a Jackson a cocinar alitas de pollo. Otra cosa muy distinta era que Rico lo obligara a usar un traje de pollo. Y otra cosa completamente diferente era que Rico le pidiera a Jackson que usara un traje de pollo mientras se balanceaba en un paracaídas de arrastre sobre la playa: ¡una playa llena de personas conocidas ante quienes Jackson se pondría en ridículo!

Jackson creyó que debía dar su opinión. Le dijo a Rico que se negaba.

—Ah, sí, claro que sí —replicó Rico mientras reía con arrogancia—. Es publicidad y mi papá ya la pagó.

—No me importa. No quiero hacer el ridículo.

—Dijo el hombre vestido de pollo.

En ese momento, Miley y Lilly llegaron corriendo por la playa.

—¿Saben dónde está Oliver? —preguntó Miley sin aliento.

—Anda por ahí con una chica —le informó Jackson mientras señalaba un punto lejano en la playa. A Jackson le bastaba con mencionar que Oliver tenía una cita para convencerse de que su situación iba de mal en peor. Sentía aumentar la furia dentro de sí. Sentía que la cara y el cuello se le enrojecían dentro de la máscara. Y agregó:

—¡Porque puede conseguir una cita! ¡Porque no tiene que vestirse de pollo!

Miley y Lilly no tenían tiempo para ocuparse

de los problemas de Jackson. Ya tenían suficientes preocupaciones. Oliver estaba bastante lejos, demasiado lejos como para que pudieran alcanzarlo antes de que pusiera en práctica su decisión y cortara con Becca.

—No podremos alcanzarlo a tiempo —dijo Lilly con tono afligido.

Pero Miley no pensaba darse por vencida. Ella había metido a Oliver en este lío y ella lo iba a sacar.

—¡Tenemos que alcanzarlo! —exclamó con decisión—. Nunca me lo perdonaré si no lo logro.

—¿Pero cómo? —preguntó Lilly mientras señalaba los puntitos a la distancia que eran Oliver y Becca—. Fíjate qué lejos está. ¡Tendrías que volar!

¡Volar! ¿Sería posible? Miley se exprimía el cerebro para encontrar alguna respuesta. Podría asumir el papel de Hannah Montana y llamar a su compañía discográfica para pedir que le enviaran un helicóptero. No, no había tiempo suficiente.

Tal vez podría pedirles que, en lugar del helicóptero, le enviaran una lancha, luego podría conseguir un par esquíes acuáticos… No, también eso demoraría demasiado. Además, ella jamás había practicado esquí acuático.

Sentía que su cabeza era un torbellino de ideas… De pronto, todo se aclaró: tenía la respuesta frente a sí.

—¿Es tuyo ese paracaídas? —le preguntó a Rico.

El chico no era ningún tonto. Al instante se dio cuenta de las intenciones de Miley.

—Espera un momento —le dijo—. Hay una sola manera de que te subas a ese artefacto…

—Eres el niño más malvado del mundo —comentó Miley mientras sacudía la cabeza.

—Es demasiado tarde para elogios —replicó Rico con una sonrisa irónica.

Todas las miradas estaban fijas en Miley. Ella miró a Rico, luego a Lilly y por fin a Jackson con su ridículo traje de pollo. Y comprendió qué era lo que debía hacer.

Todo dependía de ella.

Capítulo nueve

Si no llevara ese tonto disfraz que Rico le había obligado a usar, Miley podría sentir cómo el cálido viento de Malibú rozaba su cara y se enredaba en su pelo. En cambio, todo lo que sentía era el golpeteo de la parte interior de la cabeza de pollo contra su mejilla derecha. El traje correspondía a la talla de Jackson y era demasiado grande para Miley. Por eso le resultaba muy difícil ver a través de los orificios para los ojos. Si estiraba el cuello hasta una determinada posición, conseguía ver fugazmente a Oli-

ver y Becca, aunque seguían siendo dos puntitos a la distancia. ¡Sólo esperaba alcanzarlos a
tiempo!

Miley surcaba el aire y la brisa le arremolinaba
las plumas. Se preguntaba si ver un pollo gigante
en el cielo realmente serviría para aumentar las
ventas de alitas. También recordó que los pollos
no vuelan. Con seguridad, todas las demás aves
estarían muy sorprendidas.

Por fin, logró ver a Oliver y a Becca con claridad. Tenían las cabezas juntas y parecían absortos
en una animada conversación. Con la esperanza
de que Oliver no hubiera dicho nada aún, lo llamó a gritos:

—¡Oliver! —el chico no la oía—. ¡Oliver!
—repitió. No obtuvo respuesta. Estaba a dema-
siada altura—. ¡Necesito descender! —le dijo al
piloto de la lancha.

Al parecer, el piloto no era un marino experimentado y pronto Miley comenzó a caer en picada. Sin embargo, no perdió suficiente altura.

—¡Un poco más! —chilló Miley.

Se le encogió el estómago mientras caía varios metros. Luego unos metros más. Hasta que… ¡splash!, chocó contra el agua.

—Gracias —dijo antes de hundirse.

¡El traje de pollo ya era suficientemente pesado en tierra! Miley jadeaba mientras iba nadando hacia la orilla. No sentía ninguna clase de remordimiento por haber cancelado el encuentro con el entrenador de Hannah Montana: nadar "estilo perro" dentro de un traje que pesaba miles de kilos era suficiente trabajo físico por un día.

Se arrastró por la arena y se sacudió las algas de las alas. Frente a ella estaban Oliver y Becca.

Sin perder un segundo, se les acercó a toda velocidad.

—¡Oliver! —gritó—. ¡Espera! ¡No hagas nada! ¡No digas nada!

No todos los días emerge del mar un pollo de tamaño humano que avanza hacia ti desparramando agua a su alrededor y te llama por tu nombre. Oliver observaba atónito. Y tardó un momento en atar cabos.

—¿Miley? —preguntó confundido.

Miley se quitó la máscara de pollo.

—Por favor, dime que no llego demasiado tarde.

—Miley —le preguntó Becca—, ¿por qué estás vestida de pollo?

—Porque se habían acabado los trajes de gorila —respondió Miley con cierta brusquedad. No tenía tiempo para ponerse a charlar—. ¿Nos disculpas un momento? Oliver y yo tenemos que hablar…, ya sabes, de hombre a pollo.

Miley tomó a Oliver por el cuello de su camiseta y lo apartó de Becca, que los miraba asombrada.

—No cortaste con ella, ¿verdad? —le preguntó Miley en un supuesto susurro. Por desgracia, no lo consiguió y Becca escuchó sus palabras.

—Eh… —vaciló Oliver.

—¿Qué? —preguntó Becca furiosa—. ¿Ibas a cortar conmigo?

Oliver apartó la mirada de Miley y la dirigió a Becca.

—Bueno, tú ibas a cortar conmigo —le dijo.

Becca pareció sorprendida al escucharlo.

—No, claro que no —señaló—. ¿Por qué se te ocurrió eso?

¡Ay, no! ¿Era posible que Miley hubiese complicado todo una vez más? Ya no le quedaba tiempo para encontrar una explicación.

—¡Porque eso es lo que le escribiste a Hannah Montana! —exclamó impulsivamente.

Al instante, comprendió que había cometido un error gigantesco. ¿Se proponía revelar su identidad? Miley se quedó paralizada sin saber qué hacer.

—¿Cómo sabías? —se indignó Becca.

"¿Cómo sabía?", se repitió desesperadamente Miley mientras intentaba ganar tiempo. Estaba dispuesta a mentir, pero ni siquiera se le ocurría una mentira convincente. Miró a Oliver en busca de ayuda.

—¿Cómo lo sabía?

—Porque… tú… lees… la mente. Por eso —dijo mientras miraba alternativamente a Miley y a Becca.

Guau, Miley esperaba que a Oliver se le ocurriera una excusa mucho mejor.

—Bueno —dijo y lo miró a los ojos—, en este momento estoy leyendo la tuya. Y está completamente en blanco.

Miley tenía que encontrar una solución.

—Hablemos en serio —le dijo a Becca—. No te leí la mente, eso es una ridiculez. Leí… tu PDA, que tomé de tu armario de gimnasia.

Apenas pronunció esas palabras, se dio cuenta de que no había solucionado nada. ¡Ahora Becca pensaba que Miley era una delincuente juvenil!

—¿Por qué hiciste eso? —le preguntó Becca, disgustada.

—Porque… soy un pollo muuuuy maaaalo —dijo Miley. Fue lo único que se le ocurrió. Además, le parecía gracioso. Y esta situación requería un poco de buen humor.

Oliver intervino para ayudar a Miley.

—¡Y porque está enamorada de mí! —exclamó.

—¿Qué? —se sobresaltó Miley.

—Sí. Ya no tienes que ocultar tus sentimientos. Acéptalo. ¡Casi te vuelves loca al imaginarme en brazos de otra mujer!

Sin duda, Oliver también se estaba divirtiendo. Miley no tenía otra alternativa que seguirle la corriente.

—Bueeeeeeno —aceptó—. Es así como él dice. Pero no tan tremendo.

Oliver no pudo contenerse. Y decidió exagerar la historia. Bastante.

—Hace años que está enamorada de mí —le contó a Becca—. Me necesita, me adora…

—Creo que ya te entendió —lo interrumpió Miley—. Lo principal es que aquí nadie cortó con nadie. Oliver es un chico increíble y ustedes dos merecen estar juntos.

Becca parecía convencida. Y un momento después, Oliver y ella no tenían ojos para nadie más. Miley no podía ocultar su satisfacción por la feliz pareja. Al fin de cuentas, sin su intervención ellos jamás se hubieran acercado…

Y así, Miley extendió sus alas, cacareó y dijo

adiós. Era hora de regresar a Rico's. ¡Tenía tantas cosas para contarle a Lilly!

SEGUNDA
PARTE

Capítulo uno

Si eres una estrella pop, tienes una gran responsabilidad. No basta con grabar canciones pegajosas y luego presentarlas en estadios colmados de fans que te aclaman. También es necesario que tu nombre forme parte de la vida cotidiana de los hogares.

Una buena manera de lograrlo consiste en transformarte en la imagen de productos originales y diferentes. Robby Stewart, padre y manager de Miley Stewart, también conocida como Hannah Montana, la sensación de la música pop, imaginaba un mundo de artículos con el nombre de Hannah Montana. Pensaba en tablas de surf Hannah Montana. Teléfonos celulares Hannah Montana. ¡Protector labial, sandalias, crema humectante! ¡Juguetes para perros Hannah Montana! ¡Pañales para bebés Hannah Montana! Bueno, tal vez en ciertos casos su imaginación lo llevaba demasiado lejos…

Las bufandas eran el último producto de Hannah Montana que había aparecido en el mercado. Simone, la exclusiva diseñadora francesa de indumentaria, era su creadora y Hannah Montana celebraba su lanzamiento con una recepción en un centro comercial cercano a su casa de Malibú, California. Miley estaba acostumbrada a ser el centro de atención, pero todavía había momentos en que su propia vida la sorprendía. Y allí estaba, junto a un maniquí vestido al estilo de Hannah Montana mientras una inquieta hilera de fans entusiastas esperaban para saludarla. Miley nunca había visto tanto público en la sección para adolescentes del establecimiento, ni siquiera el fin de semana previo al primer día de clases.

Incluso Roxy, la temeraria y quizás-un-tanto-hipereficiente guardaespaldas de Hannah, parecía desconcertada.

—Ok, no se preocupen —dijo Roxy a la multitud—. ¡Todos los que compren una bufanda tendrán su fotografía! Siempre y cuando no hagan enojar a Roxy. Y no querrán que Roxy se enoje, ¿verdad?

Roxy indicó a la persona siguiente en la hilera que se aproximara. Era una chica, impaciente por encontrarse frente a Hannah Montana.

—¡Qué *cool*! —exclamaba una y otra vez la chica—. ¡Estuve esperando durante meses que salieran a la venta estas bufandas! ¡No me la voy a quitar nunca!

Miley sabía que la mejor manera de mantener su ego bajo control consistía en no tomarse nada demasiado en serio.

—¡Grandioso! —le dijo a la chica—. No olvides lavarla sólo con agua fría y secarla tendida sobre una superficie plana.

El fotógrafo realizó una toma.

—¡Muy bien, el siguiente! —gritó Roxy mientras apartaba a una chica para que otra tomara su lugar. Sin embargo, cuando la chica que seguía se adelantó, Roxy le cerró el paso.

—No tan rápido, chiquita —le advirtió. Luego le pidió que extendiera los brazos mientras pasaba sobre ella un detector de metales. Al llegar a la cara de la chica, el detector emitió un chirrido estridente.

—¡Ya sabía! —dijo Roxy con tono amenazador—. ¿Qué escondes ahí?

—¿Se refiere a mi aparato de ortodoncia?

—preguntó cohibida la chica y sonrió nerviosamente para mostrar una dentadura llena de metal.

Sin embargo, Roxy no parecía convencida.

—Buena excusa —gruñó—. ¡Abre la boca!

Al ver que Roxy inspeccionaba la boca de la anonadada chica con una pequeña linterna, Miley se volvió hacia el señor Stewart y le dijo:

—Pa, Roxy es la mejor guardaespaldas que hemos tenido, pero desde que regresó de su reunión con el cuerpo de Infantería de Marina está un poco impulsiva.

—Sólo te está cuidando, querida —replicó su papá—. No olvides que Roxy es la misma que se interpuso entre ti y ese fan que no dejaba de estornudar en Cleveland.

Miley tuvo que admitir que era cierto.

—Tienes razón.

Roxy terminó la inspección.

—Está limpia. No usa hilo dental, pero está limpia. Adelante.

Miley sonrió comprensiva a la chica, que avanzaba con aprensión hacia ella después de que Roxy le abriera el paso.

Mientras Miley firmaba autógrafo tras autógrafo y mantenía una sonrisa que empezaba a acalambrarle las mejillas, su mejor amiga, Lilly —disfrazada de Lola, la asistente personal de Hannah Montana—, aprovechaba la oportunidad para mirar ropa. Sin embargo, luego de tropezar con una antipática vendedora, Lilly decidió interrumpir su recorrido. La vendedora se llamaba Milda y, al parecer, no le gustaban los clientes que miraban y tocaban pero no compraban nada. Lilly pensó que Milda era groseramente grosera y regresó junto a Miley.

—Es increíble —le dijo Miley cuando se le acercó—. ¡Hay tantos fans e incluso el negocio trajo un maniquí igual a mí!

—No es un maniquí —rectificó Lilly—. Es un Hannahquí, señorita Montanaquí.

—Ay, no —se lamentó Miley.

—¿Qué? —replicó Lilly, que estaba encantada con su juego de palabras—. ¡Es muy originalquí!

Pero Miley tenía la mirada fija en algo que sucedía en la sección de indumentaria para adolescentes, a unos pasos del Hannahquí.

—Me refería a mi papá —dijo Miley mientras espiaba al señor Stewart, que recorría los percheros del negocio—. Creo que está buscando mi regalo de cumpleaños.

—Ay, no —gimió Lilly imitando a Miley—. Alguien va a comprarte algo muy caro y muy *cool*. ¿Podrás sobrevivir a eso?

—¡No entiendes nada! —exclamó Miley mientras observaba la cara de aprobación de su papá ante un vestido horrible—. Como padre, nadie sabe más que él sobre cualquier cosa. Pero como comprador…, debería sonar la alarma cada vez que entra en un negocio.

Las chicas observaron al señor Stewart que sostenía el vestido frente a sí, se acariciaba el mentón y asentía complacido.

Lilly dio la razón a su amiga.

—Guau, no estabas exagerando. Si a ese vestido le agregas una cabra y un sombrero de paja, te transformas en la hermana tonta de Heidi —Lilly rió entre dientes de su propio chiste. ¡Hoy se sentía muy inspirada!

—Lo adoro —dijo Miley—, pero debería tener la entrada prohibida a la sección de adolescentes si lleva una tarjeta de crédito.

Miley observó que su papá descolgaba otra

monstruosidad con volados. Miró al techo y gimió:

—¡Por favor, que alguien lo detenga!

¡Tremendo error! Al instante, Roxy se puso en guardia.

—¿A quién hay que detener? ¿Dónde? ¡No se escapará! —gritó mientras se arrojaba sobre un comprador. Pobre hombre. Estaba buscando la sección de zapatería masculina y había bajado del ascensor en el piso equivocado.

Miley y Lilly observaban horrorizadas a Roxy, que mantenía al hombre tendido en el piso con los brazos detrás de la espalda. Transcurrieron varios segundos desagradables antes de que ambos se pusieran de pie.

—¡Está limpio! —anunció Roxy.

Aunque le preocupara el mal gusto de su padre, Miley sabía que su seguridad estaba garantizada.

Capítulo dos

Miley y Lilly se dedicaban a una de sus actividades favoritas: observar cómo giraba una y otra vez el perchero del vestidor de Miles, que era también el vestidor de Hannah Montana. Eso significaba que, además del sobrio guardarropas escolar de Miley, allí había docenas de chaquetas de cuero, chaquetas de jean en todos los tonos imaginables, minifaldas, camisetas e incontables pares de botas vaqueras.

Miley no lograba pensar en otra cosa que en el

mal gusto de su papá para los regalos. No sabía por qué, pero le causaba verdadero fastidio.

—Mamá jamás se equivocaba cuando me compraba algo. Tenía un gusto excelente. En cambio, papá tiene el mismo gusto que un pepino en conserva un mes después de la fecha de vencimiento.

Lilly intentó imaginar qué gusto tendría un pepino en conserva un mes después de la fecha de vencimiento. Hizo una mueca.

—Mira, ningún padre sabe qué comprarle a su hija. ¿Sabes qué me regaló mi papá para mi último cumpleaños? Un bono de ahorro: ¡lo puedes ver, lo puedes tocar, pero no te lo puedes gastar! ¿Hay algo más inútil?

Era evidente que Lilly no comprendía la gravedad de la situación. A Miley le hubiera encantado recibir un bono de ahorro. Sobre todo si tenía en cuenta los regalos de sus cumpleaños anteriores.

Y decidió que era un buen momento para revelar a su mejor amiga la cruel y horripilante verdad.

Según recordaba Miley, el primer regalo espantoso que había recibido de su padre era una blusa, si a eso se le podía llamar blusa. Para Miley, se parecía más al mantel que usaba su abuela para el Día de Acción de Gracias.

Ése había sido también el primer regalo que Miley había destruido. No era posible explicarlo con delicadeza. Recordaba bien el momento: estaba de pie junto al refrigerador con un vaso de jugo de tomate en la mano cuando escuchó que su papá la llamaba. "¡Miley! Queremos ver tu precioso regalo de cumpleaños." Miley miró a su alrededor con precaución para asegurarse de que su papá no la veía y se empapó con jugo de tomate.

—Papi —preguntó con su vocecita más inocente—, ¿el jugo de tomate mancha?

Luego estaban el vestido con mangas farol

que de alguna manera había chocado contra la jarra de jugo de uva y la chaqueta con flecos que había encontrado un lamentable final en un extraño accidente en el que intervenía la trituradora de papel de su papá. Con el regalo del año anterior, había puesto en práctica el recurso clásico: se había volcado encima un bol entero de espagueti con albóndigas.

—¡Mamma mia! —exclamó Lilly.

—Este año pienso complicarlo un poquito: tal vez le agregue frutos rojos. Manchan maravillosamente.

—¿Y por qué no le dices algo y listo? —preguntó Lilly.

—Porque no quiero herir sus sentimientos. Deberías ver su cara cuando me da los regalos y dice: "Lo elegí especialmente para ti, tesoro".

Miley imitó la expresión de cachorrito mojado que ponía su padre. Lilly también la conocía.

—Ah, sí, la cara de perrito —asintió—. Mi papá me convenció para ir a la escuela de verano con una expresión semejante.

—Bueno, no creo que pueda soportar esa cara otra vez ni otro de esos regalos. Tiene que haber una manera de detenerlo antes de que vuelva a comprar.

—¿Y qué piensas hacer? No creo que te lleve cuando vaya de compras.

En ese momento, a Miley se le ocurrió una idea.

—Es verdad —dijo—, pero podría llevarte a ti...

Capítulo tres

Jackson Stewart entró en su casa. Miró hacia la derecha. Miró hacia la izquierda.

—¿Miley? —llamó—. ¿Mile?

No obtuvo respuesta. Suspiró aliviado.

—Ok, no hay moros en la costa. Puedes entrar con el pastel —dijo.

Le hablaba a su amigo Cooper, quien llegó unos segundos después con una caja grande de color rosa donde había un pastel. A Cooper le encantaba hacer bromas, y mientras entraba en la casa de la familia Stewart simuló que tropezaba y se caía.

—¡Guau! —gritó con falso temor—. ¡Aaay!

Jackson no estaba de humor para soportar los chistes de Cooper.

—¡Dame eso! —dijo e intentó arrebatarle la caja. Cooper se la entregó.

—Tranquilo, hombre, es una broma. No te pongas así por un pastel.

Jackson colocó el pastel sobre la barra de la cocina. Uf, estaba a salvo.

—No es un pastel cualquiera. Es el pastel de cumpleaños de Miley. Y es mi manera de demostrarle a papá que puedo encargarme de algo sin provocar un desastre.

Cooper conocía muy bien la fama de Jackson.

—Hombre, puedo ayudarte a traer un pastel, pero no puedo ayudarte con una Misión Imposible.

Jackson lo miró ofendido.

—Oye, conseguí llegar hasta aquí sin problemas, ¿no?

Abrió la caja rosada y espió su interior. El pastel seguía allí. Con cuidado, lo retiró de la caja.

—Muy bien, sigue intacto. Y no le va a pasar nada malo hasta la fiesta de cumpleaños de Miley, mañana. Sólo tengo que llevarlo al refrigerador del garaje. Toma la caja. Ya me imagino la cara que pondrá papá cuando se sirva una gran porción de este pastel.

¡Jackson y su mala suerte! En el preciso instante en que abría la puerta de la cocina desde adentro, su papá la empujó desde afuera. Robby Stewart venía cargado con dos paquetes de seis botellas de gaseosa, que se estrellaron contra el piso mientras el pastel salía volando de las manos de Jackson. Por un momento pareció que el pastel tenía vida propia, porque impactó con toda precisión en la cabeza del señor Stewart.

—Hijo —tronó el señor Stewart mientras se quitaba una rosa de azúcar glaseada de la oreja derecha—, no creo que seas tan valiente como para mirarme a la cara.

* * *

Al día siguiente, Miley y Lilly siguieron al señor Stewart hasta el centro comercial. Se mantenían a una prudente distancia de diez pasos y no lo perdían de vista cuando se dirigía a la sección de indumentaria para adolescentes. El exhibidor de bufandas y el maniquí de Hannah Montana seguían en el mismo lugar.

—Allí está —susurró Miley y miró a Lilly con expresión muy seria—. Recuerda que mi felicidad futura depende de ti. No quiero presionarte.

Lilly ya se sentía bastante nerviosa.

—Ya sabes que cuando alguien dice "no quiero presionarte", agrega más presión —le recriminó.

No había tiempo para discutir. Miley vio que su papá revisaba el rompevientos más horrible del mundo. Estaba teñido y decorado con cuentas de vidrio brillante que formaban el diseño de un gigantesco... ¡¿conejo?! ¿Era efectivamente un conejo? Todo era mucho peor de lo que Miley había imaginado. Miró a Lilly y exclamó:

—¡Ahora!

Lilly atravesó el negocio en dirección al señor Stewart mientras Miley se escondía detrás de un exhibidor de suéteres.

—¡Señor Stewart! ¡Qué sorpresa encontrarlo aquí!

Miley se sintió abochornada al oír a Lilly. Sus

palabras sonaban totalmente falsas. Por suerte, el señor Stewart no se dio cuenta.

—Hola, Lilly. Sigo buscando el regalo de cumpleaños perfecto para mi hijita.

—Bueno, qué casualidad —dijo Lilly—. Yo también. ¿Y encontró algo?

—Nada.

—Bueno, tal vez parezca una locura, pero… puedo ayudarlo ya que casualmente estoy por aquí… por casualidad.

¿No podría Lilly evitar la palabra "casualidad"?

—No es mala idea —respondió el señor Stewart y descolgó un vestido del perchero—. ¿Qué te parece este modelito?

No importaba tanto la opinión de Lilly, era Miley quien debía decidir. Lilly miró hacia el exhibidor detrás del que se escondía Miley y esperó sus indicaciones. Intentó ganar tiempo.

—Hmmm… ¿qué me parece? ¿Qué opi-

nión tengo? —su voz se elevaba con cada palabra. Desde su escondite, Miley le dijo "¡No!"
por señas.

—No tengo más remedio que descartarlo
—dijo Lilly—. ¿Por qué no buscamos algo por
allí?

Miley vio que Lilly llevaba a su papá hacia
otra parte de la tienda. Corrió hacia un perchero
giratorio y se escondió detrás para no perder-
los de vista. Al asomar la cabeza entre la ropa
se encontró cara a cara con Milda, la vendedora
gruñona.

—Hola —la saludó Miley alegremente—.
Sólo quería mirar.

Milda le respondió con amabilidad.

—Sólo quería contarte sobre nuestra nueva promoción. Se llama… —bajó la voz hasta
lograr un tono amenazante— ¡compra algo o
vete!

Milda alejó a Miley del perchero y la empujó hacia la salida. Ahora Miley había quedado completamente expuesta. Intentó ocultarse detrás de Milda.

—No, en serio —intentó protestar—. Casi me había decidido por un…

Milda completó la frase de Miley.

—…bla, bla, bla, adiós.

Y Miley terminó expulsada de la sección de indumentaria para adolescentes.

Capítulo cuatro

El señor Stewart se sentía frustrado.

—No sé qué hacer —decía y sacudía la cabeza—. ¿Y si probamos en otro negocio?

Lilly miraba en todas direcciones para encontrar a Miley. ¿Dónde se habría escondido?

—¡No! —replicó—. Todavía hay mucho por ver. Estoy segura de que la encontraremos en alguna parte. Quiero decir, que encontraremos algo para ella.

Miley escuchaba la conversación de Lilly y su papá con una sonrisa divertida. Había logrado pasar inadvertida junto a Milda con el mejor disfraz posible. Vestida de Hannah Montana… el maniquí, también llamado el Hannahquí.

Era un disfraz genial. Y también arriesgado. Tenía que actuar con rapidez y discreción. Le dio a Lilly un ligero codazo y luego permaneció inmóvil.

—Lilly —susurró sin mover los labios.

—¡Guau! —exclamó Lilly cuando se repuso de la sorpresa.

—¿Qué? ¿Encontraste algo? —preguntó el señor Stewart, distraído.

—Por supuesto. Aquí está —respondió Lilly. En el apuro por disimular, tomó la primera prenda que vio y se la entregó. Por desgracia, era tan horrible como todo lo que había elegido el señor Stewart. Y, tal vez, más horrible.

"¡Puaj!", pensó Miley cuando vio la feísima prenda que observaba su papá. Y se dio cuenta de que estaba por hacer algo peligroso. Si Milda veía moverse al maniquí, no sólo volvería a expulsar a Miley del negocio, también podría imaginarse que Miley era Hannah Montana. Sin embargo, debía advertir a Lilly. ¡No podía permitir que su papá gastara dinero en algo tan espantoso! ¡Era mil veces peor que ese cárdigan tan llamativo color verde vómito de 2003! Rápida como un rayo, Miley hizo señas a Lilly que significaban "¡NO!".

Por suerte, Lilly la vio.

—Y me parece horrible —le dijo al papá de Miley mientras le quitaba la prenda de la mano con energía—. Creí que usted se daría cuenta. Tal vez encontremos algo por allí.

Mientras Lilly conducía a un perplejo señor Stewart hacia otro perchero, Miley tropezó con una chaqueta que le gustó. O, mejor dicho, tropezó con una chica que llevaba una chaqueta que le gustó. Era una chaqueta tan *cool* que Miley decidió arriesgarse una vez más. Cuando la chica le dio la espalda, decidió quitarle la chaqueta. Le dio un tirón. La chica se volvió. Pensaba que la chaqueta se habría enganchado en un dedo del maniquí e intentó quitarla. Miley la sujetó con más fuerza. La chica tironeaba con energía.

—Suéltala —susurró Miley, imperturbable. No tenía intención de que su voz sonara tan pérfida y amenazante, pero resulta inevitable cuando hay que hablar sin mover los labios. Y, de todos modos, surtió efecto. La chica soltó la chaqueta y se alejó aterrorizada.

Sin perder un segundo, Miley dejó caer la chaqueta sobre la cabeza de Lilly. Y Lilly consiguió quitársela sin que el señor Stewart se diera cuenta. Luego se la entregó como si acabara de hacer un gran descubrimiento.

—Sí. ¡Es muy linda! —exclamó el señor Stewart—. ¿Dónde la encontraste?

—Sentí que caía sobre mí —le explicó Lilly.

—¿Y crees que le gustará a Miley?

—Creo que si ella estuviera aquí, le encantaría.

—Muy bien, búsqueda terminada —dijo el señor Stewart.

En su caminó hacia la caja registradora, se detuvo a observar el maniquí. Se sintió anonadado.

—Es increíble, parece que tiene vida —comentó.

Lilly lo condujo hacia el mostrador de empaque mientras Miley permanecía en su sitio, inmóvil y contentísima.

Capítulo cinco

¿**P**or qué todo en su vida era tan difícil? La mañana del cumpleaños de Miley, Jackson llegó a su casa con un nuevo pastel. El único problema era que no podía meterlo. Había perdido las llaves. Sabía que había un llavero de repuesto en algún lugar, pero tampoco conseguía encontrarlo.

Como siempre, Cooper aprovechó la oportunidad para refregárselo.

—Primero destrozas un pastel, luego pierdes las llaves y no puedes entrar con el nuevo pastel.

Empiezo a pensar que tienes algún complejo relacionado con los pasteles.

Como siempre, Jackson se esforzó por ignorar a su amigo. Apoyó el pastel sobre la mesa y comenzó a buscar las llaves.

—Piensa menos y busca más. Si algo le pasa a este pastel, papá me lo recordará toda la vida…

En ese momento se escuchó un estruendo.

No era frecuente ver aves silvestres en Malibú, California. Menos frecuente aún era ver un pelícano silvestre. Por tal motivo era comprensible que Jackson se sobresaltara cuando se volvió y vio que una de esas aves se estaba devorando el pastel de Miley.

—¿Por quéééééééé? —aulló.

Cooper intentó tranquilizar a su amigo.

—Tal vez sea su cumpleaños.

El intento de Cooper… fue un fracaso.

La celebración del cumpleaños de Miley comenzó tras el desayuno. Lilly había venido a compartirlo con su amiga y su familia. Roxy, también.

Si bien Roxy estaba allí como amiga, se tomaba muy en serio su trabajo. Entonces, cuando Lilly entregó a Miley una bolsa de regalo adornada con papel de seda multicolor, Roxy se alarmó.

—¡Alto! —advirtió—. ¿Estuvo esta bolsa fuera de tu control visual en algún momento desde que la envolviste?

—Roxy, eres nuestra invitada. No estás en horario de trabajo —le recordó el señor Stewart.

Roxy lo ignoró e inspeccionó el interior de la bolsa durante unos tensos segundos.

—Mm, uh. El peligro nunca se toma vacaciones… Todo en orden.

Por fin, logró despojarse de la actitud profesional y se volvió hacia Miley para decirle con entusiasmo:

—¡Chiquita, te va a encantaaarrr!

Miley sacó una preciosa cartera de la bolsa de regalo y sonrió.

—¡Lilly, es sensacional! —exclamó mientras abrazaba a su mejor amiga. Luego le susurró—: Va a quedar perfecta con la chaqueta.

—Ya sé —le respondió Lilly con un susurro.

A continuación, era el turno de Jackson.

—Para ti, Mile —le dijo mientras le entregaba una caja.

Roxy no hubiera sido ella misma si no lo hubiese interrumpido para otro control de seguridad.

—Un momento —solicitó y tomó la caja para revisarla.

—No te preocupes, Roxy —la interrumpió Miley—. Lo haré yo. Y voy a usar tu regalo.

Roxy le había regalado a Miley un detector de metales. Miley lo utilizó para inspeccionar la caja de Jackson.

—¡Todo esto es tan *cool*! —dijo Lilly—. Es increíble la cantidad de gente que le manda e-mails a Hannah Montana.

Miley leyó en voz alta un e-mail especialmente jugoso: "Querida Hannah: me derrito por un chico que ni sabe que existo". Lo había enviado Becca Weller, una chica de la escuela de Miley. ¡Y el chico que le gustaba era Oliver!

Al día siguiente, en la escuela, Miley y Lilly observaban a Becca Weller cuando Oliver apareció en el corredor. —¿Viste eso? —le preguntó Miley a Lilly—. Lo acaba de escanear.

—¿No te diste cuenta de que Becca Weller quería charlar contigo? —preguntó Miley.

Oliver dedicó unos minutos a reflexionar sobre la noticia y luego esbozó una amplia sonrisa. —Así que Becca Weller quiere dar un paseo en el Olliebús.

—Algunas veces no se trata de lo que le dices a una mujer, sino de tener el valor para decir algo. Con toda naturalidad, amigo —recomendó el señor Stewart.

Al día siguiente de la cita de Oliver y Becca, Miley y Lilly estaban impacientes por enterarse hasta el último detalle del encuentro:
—¡Oliver! ¿Qué hicieron Becca y tú en el centro comercial ayer?

Miley y Lilly vieron a Becca tomada de la mano de otro chico y se lo contaron a Oliver.
—Tienes que cortar con Becca —le dijo Miley.

Segunda parte

—Ay, no —se lamentó Miley al ver que su papá recorría los percheros en la sección de indumentaria para adolescentes—. Creo que está buscando mi regalo de cumpleaños.

—Ay, no —gimió Lilly parodiando a Miley—. Alguien va a comprarte algo muy caro y muy *cool*. ¿Podrás sobrevivir a eso?

Miley y Lilly observaron al señor Stewart,
que sostenía frente a sí un vestido horrible y
asentía complacido.

—Lo adoro —dijo Miley—, pero debería
tener la entrada prohibida a la sección de
adolescentes si lleva una tarjeta de crédito.

De regreso en casa, Miley y Lilly
elaboraron un plan.
—Tiene que haber una manera de detenerlo
antes de que vuelva a comprar.

Pero el plan no funcionó. El día de su cumpleaños,
Miley abrió el regalo de su papá... ¡y encontró
un horrible suéter con un gato! —Lo elegí
especialmente para ti, tesoro —le dijo.

Cuando los invitados a su fiesta de cumpleaños se burlaron del suéter, Miley expresó sus sentimientos.
—A mí este suéter me encanta porque me lo regaló alguien a quien quiero mucho.

Esa noche, Miley y su papá conversaban en la galería. —Supongo que una parte de mí quiere aferrarse a esa niñita que eras —admitió el señor Stewart.

—¡Está limpia! —anunció triunfante mientras Roxy la miraba con orgullo.

Miley abrió el regalo de Jackson y encontró algo… ¡¿encrespado?! ¿Qué sería? Demoró unos segundos en darse cuenta y luego miró boquiabierta a su hermano. Jackson era capaz de todo.

—Fundas para tapizado de piel de cordero. ¿Me regalas algo para tu auto? —dijo con tono pausado.

Jackson se encogió de hombros y sonrió con expresión astuta.

—Mira, supongo que quieres estar cómoda cuando te llevo en auto al centro comercial —dijo—. Para Navidad, vas a recibir unas llantas cromadas.

—Perfecto —respondió Miley con una amplia sonrisa—. Y tú vas a recibir una falda negra de cuero con calzado al tono.

Había llegado el turno del papá de Miley. Lilly y Miley intercambiaron una mirada cómplice mientras el señor Stewart desbordaba de felicidad al entregar su regalo.

—Feliz cumpleaños, tesoro —le dijo cariñosamente.

Miley se había pasado media vida actuando y no tenía ninguna dificultad para simular que estaba sorprendida. ¡Súper sorprendida!

—No me imagino qué podrá ser —canturreó—, pero eso es lo genial de las sorpresas: ¡que te sorprenden!

Miley abrió la caja con la expectativa de encontrar allí la hermosa chaqueta.

Pero… no había ninguna chaqueta.

Había… había… Miley no lograba definirlo. Había… ¡un suéter de angora con una cara de gato gigante dibujada en la delantera! Ay, no. ¿Qué había pasado con la chaqueta?

—¡Y qué sorpresa! —masculló.

Al parecer, la inflexible Roxy tenía su lado tierno.

—Aaah, un gatito —suspiró.

Lilly estaba tan sorprendida como Miley. Se acercó al señor Stewart y, con un hilo de voz, le preguntó qué había sucedido con la chaqueta.

—La devolví. No era mi estilo —susurró el señor Stewart para que sólo Lilly lo oyera. Luego se volvió hacia Miles y le dijo:

—Lo elegí especialmente para ti, tesoro.

Aunque el suéter tuviera un gato, el papá de Miley no había perdido su expresión de cachorrito.

—¡Me encanta! —le mintió Miley mientras cambiaba el suéter de posición con el propósito de ocultar su contrariedad—. Sobre todo la espalda.

En la espalda del suéter había una gigantesca y gatuna... cola.

—Yo sí que conozco a mi niñita, ¿verdad? —el señor Stewart estaba exultante—. ¡Presiona la trompa!

Miley obedeció. El suéter maulló.

—Y yo que pensaba que no podría ser más adorable —dijo Miley abochornada y con la esperanza de que su cara no reflejara el horror que sentía.

Capítulo seis

Miley decidió que no había tiempo que perder. ¿Cómo decía aquella frase? ¿Sólo se trata de vivir el presente? Bueno, hoy sólo se trataba de vivir… para que un regalo dejara de estar presente. De pie frente al refrigerador, le dijo a Lilly que estuviera atenta a cualquier movimiento.

Revisó el contenido del refrigerador. No era la primera vez que hacía algo semejante, pero todavía se ponía un poco nerviosa. Sintió que la botella estaba fría cuando la tocó con su mano húmeda.

—Muy bien, frutos rojos, es hora de hacer magia —dijo y abrió la botella. Luego se alejó el suéter del cuerpo (¡la camiseta que llevaba debajo era muy linda, al fin de cuentas!) y volcó el jugo.

Miley bajó la mirada hacia el gatito del centro del suéter con la esperanza de ver una gigantesca mancha de color morado. Sin embargo, el gatito seguía perfectamente limpio e intacto. ¡Incluso parecía devolverle la mirada y reírse de ella!

—¡Qué día…! —exclamó Miley al ver el charco de jugo que se había formado en el piso—. Ay, no. ¡Viene con proceso antimancha!

Lilly estaba asombrada y se acercó para observar detenidamente el suéter.

—Quisiera saber qué hay debajo de la cola —dijo con curiosidad. Se puso detrás de Miley para levantar la cola, pero ella se apartó.

—¡Basta! —gritó—. ¡No hay nada, ya me fijé!

Miley pensaba que había tenido mala suerte. Y decidió postergar un nuevo intento destructivo.

—Ok, lo uso durante una hora, papá está feliz y esta noche, misteriosamente, se caerá dentro de la parrilla.

Lilly formuló la pregunta más temida:

—¿Y si no se quema?

—Lo voy a cortar en tiras y me las voy a comer, si es necesario —respondió Miley—. En cualquier caso, nadie excepto tú y mi papá me verá jamás vestida así.

En ese momento se escuchó la voz del señor Stewart.

—Mile, ven al solarium. Tengo otra cosita para ti.

—Si son los pantalones que completan el conjunto, tendrás que comer conmigo —le susurró a Lilly.

—¡Sorpresa!

Miley tardó unos minutos en comprender qué estaba sucediendo. Lilly estaba junto a ella. Allí estaban su papá y Jackson. Allí estaban Oliver y Roxy. Y allí estaban… ¡TODOS SUS COMPAÑEROS DE CLASE! ¡Y ella llevaba un suéter con un gatito!

Miley se cruzó de brazos con el propósito de ocultar semejante atrocidad, pero inadvertidamente presionó la trompa. A ella podrían faltarle las palabras para describir todo lo mortificada que se sentía, pero al gatito no.

"¡Miau!"

—Todo un impacto, ¿no? —le preguntó su papá.

—Ni te imaginas —replicó Miley, bastante alterada.

El señor Stewart se dirigió a los invitados.

—¡Ok, todo el mundo a la playa! ¡Vamos a celebrar un cumpleaños!

Mientras todos se encaminaban hacia la orilla, Miley ni se movió.

—Bueno, ¿qué esperas? —quiso saber su padre—. Tienes la oportunidad de que todos admiren tu nuevo suéter.

Miley debía encontrar una excusa.

—¿No crees que los otros chicos podrían sentirse celosos? —le preguntó—. Es muy probable. Ya sabes cómo son.

Su papá pensaba que se preocupaba por tonterías.

—Oye, hoy es tu día especial —le recordó—. Y mereces que todas las miradas estén fijas en ti.

A Miley se le habían agotado las ideas.

—Genial —murmuró mientras se dirigía a la playa.

Todos se divertían mucho. Todos excepto Miley. El señor Stewart había organizado una fiesta temática caribeña. Los camareros servían brochetas de pollo flambeado y bifecitos miniatura condimentados con diversas especias. Había impresionantes tragos espumosos: una mezcla de jugo de guayaba y piña que se servía en vasos con forma de cáscara de coco. Y una banda que tocaba calipso. Miley no podía creer que todo tuviera un aspecto tan espectacular. Si no fuera por su detestable atuendo, hubiera sido la fiesta de cumpleaños más perfecta de su vida.

Incluso había una competencia de "limbo". Por lo general, Miley siempre se destacaba en ese juego, pero de ninguna manera iba a participar vestida con un suéter que tenía un gato. Lilly intentó convencerla.

—Vamos, Miley —le dijo—. Llevas un suéter ridículo, ¿y qué? Aquí nadie se va a burlar de ti ni te va a sacar una foto para ponerla en el anuario escolar.

Miley seguía negándose.

En ese momento, aparecieron Amber y Ashley, dos compañeras de clase.

—¡Hola, cumpleañera! ¡Una sonrisa para la cámara!

Al volverse, Miley y Lilly descubrieron que cada chica llevaba un teléfono celular con cámara fotográfica en la mano.

—¡Cúbreme la cola! —gritó Miley mientras se escondía detrás de Lilly. Las dos amigas corrieron a ocultarse mientras Amber y Ashley disparaban sus cámaras.

Capítulo siete

Jackson contemplaba el desastre que reinaba sobre la barra de la cocina. ¿Quién hubiera dicho que se podía provocar semejante caos en tan poco tiempo? Su único propósito había sido hornear un pastel.

Escuchó que la puerta de entrada se abría y se cerraba.

—¡Hey, Jotamán! ¿Jackson? —lo saludó una voz. Era Cooper.

—¡Estoy en la cocina!

En la voz de Jackson había una nota de impaciencia.

A pesar de la catarata de harina que caía desde la barra y los charcos de leche derramada, Cooper no se imaginaba qué se traía Jackson entre manos.

—¿Qué estás haciendo? —le preguntó.

—¿Y a ti qué te parece? —replicó Jackson, molesto. No tenía tiempo para ponerse a charlar—. Estoy preparando un pastel.

Mientras leía la receta, comenzó a verter todos los ingredientes dentro de un bol.

—Ok, harina, leche. Ahora, agregar tres huevos. Uno, dos y tres —dijo mientras dejaba caer los huevos dentro del bol, ¡sin quitarles las cáscaras!

—Oye, Jackson…

¿Acaso Cooper no comprendía? ¡Estaba muy ocupado como para prestarle atención!

—¡Shh! —indicó Jackson mientras volvía a leer la receta—. Ahora, a batir.

Comenzó con el batido. De pronto, la cuchara chocó contra algo duro. Introdujo la mano en el bol y sacó… un huevo entero.

—Creo que algo salió mal.

Cooper lo miró perplejo.

—¡Tienes que cascar los huevos antes de agregarlos, idiota!

"¡Ah!", pensó Jackson. Se sentía un poco aturdido. ¿Cómo no se le había ocurrido? Sostuvo el huevo en la mano y cerró el puño. La yema comenzó a chorrear. Jackson abrió la mano y dejó caer la mezcolanza de líquido y trozos de cáscara dentro del bol.

Cooper perdió la paciencia.

—¡No puedo seguir mirándote un segundo más! —exclamó.

—¿Tú lo sabes hacer mejor? —dijo Jackson con tono de incredulidad.

—Mucho mejor —respondió Cooper, luego

de una pausa. Jackson se dio cuenta de que nunca lo había visto en una actitud tan solemne. Su voz era prácticamente un susurro cuando agregó—: Ok, te voy a contar algo que nadie, excepto mi familia, sabe.

—¿Todavía te gustan las bebidas "Shirley Temple"?

—¡Tienen sabor a fruta y son muy refrescantes! Pero no es eso. La verdad es que… —Cooper demoró un par de segundos para terminar la frase. Por fin, dijo apresuradamente—:… soy pastelero.

—¿Qué?

Cooper parecía aliviado. Ahora podía contar toda la verdad.

—¡Me encanta cocinar! —exclamó—. ¡Pasteles, postres, tartas y mis insuperables bombas de crema!

Jackson recordó las bombas de crema que había probado en casa de Cooper. Eran exquisitas.

—¡Dijiste que las hacía tu mamá!

Jackson comenzó a reír convulsivamente.

—¿Me estás tomando el pelo? Mi mamá no sabe preparar ni cubitos de hielo. Y ahora, apártate y deja trabajar al profesional. Necesito un bol limpio, ingredientes frescos y… dame eso —dijo mientras le quitaba el delantal a Jackson de un manotazo—. ¡No naciste para llevar delantal!

Jackson no tuvo ningún inconveniente en aceptarlo. "Uf", pensó. "Qué alivio."

Y ahora era indispensable que Cooper fuera tan eficiente como se proclamaba: ya había transcurrido la mitad de la fiesta de Miley y se acercaba la hora del pastel.

Capítulo ocho

Miley no lo podía creer. Amber y Ashley no se daban por vencidas. Habían descubierto el escondite de Miley y se negaban a irse hasta que ella se asomara y posara para una foto. Detrás de la puerta cerrada, Miley escuchaba la voz burlona de Amber que la llamaba.

—Ven, gatito, gatito, gatito.

—Miley, no puedes quedarte en el baño para siempre —chillaba Ashley. Por primera vez en la vida, Miley estuvo de acuerdo con algo que decía

Ashley. Estaba aburrida de estar en el baño. Además, comenzaba a sentir una ligera claustrofobia.

—¿Y si te lo quitas? —sugirió Lilly señalando el suéter.

—¿Y qué le voy a decir a mi papá? —indagó Miley. Se sentía mareada y tenía la sensación de que las paredes amenazaban con estrujarla.

—Ni idea —respondió Lilly—. ¿Tal vez que eres alérgica a los gatos?

Para demostrarle a Lilly lo que pensaba de su idea, Miley accionó la descarga de agua del inodoro.

—Bueno, tendrás que hacer algo. Si esas dos te sacan una foto, estará en el anuario escolar por toda la eternidad.

Alguien llamó a la puerta. Miley estaba dispuesta a decirles a Ashley y Amber lo que pensaba de ellas con toda franqueza si no la dejaban en paz, pero era Oliver. Acababa de terminar la competencia de "limbo" y Roxy lo había derrotado en el último segundo.

—Miley, ya puedes salir —le dijo—. Se me ocurrió algo para ayudarte.

Miley y Lilly se miraron.

—¿Cómo?

—Ten confianza en mí —le dijo Oliver.

Miley abrió la puerta sólo una hendija y consiguió ver algo que parecía plástico de color. ¿Qué podría ser…?

—Toma, con esto te cubres el suéter —dijo Oliver y le entregó una pelota de playa gigante.

—Oliver, eres un salvavidas —dijo Miley alegremente mientras abría la puerta y tomaba la pelota.

—Mi tía Harriet me regaló la versión de perrito para Navidad —le contó Oliver—. Ladra "Campanas de Belén". ¿Cómo no voy a comprender tu vergüenza?

Miley pensó que estaba a salvo. Pero Ashley y Amber eran más persistentes de lo que jamás hubiera imaginado. No estaban dispuestas a reconocer su derrota.

—Qué inteligente —se burló Amber.

—Ya no podremos tomarle la fotografía de ninguna manera —protestó Ashley.

—Es verdad —agregó Amber con un guiño—. A menos que hagamos algo así.

De pronto, Amber y Ashley comenzaron a actuar igual que los pistoleros en las películas del Lejano Oeste que le gustaban al papá de Miley. Sin embargo, no llevaban la mano a la cartuchera en busca de armas, sino que las buscaban en el pelo. Antes de que Miley comprendiera la situación, Amber y Ashley ya habían puesto en acción sus pasadores para apuñalar la pelota de playa. Se desinfló en brazos de Miley.

—¡Basta, basta! —gritaba Miley.

Lilly y Oliver corrieron a colocarse frente a ella para protegerla.

—¿Cómo hacen para ser tan detestables? —preguntó Lilly.

—Así somos —respondió Ashley con suficiencia.

—Bueno, pero nosotros no —contraatacó Lilly—. ¿Ustedes creen que aquí nadie se da cuenta de que ese suéter es el más ridículo de la historia del mundo?

—¡Hay que ser ciego para no verlo! —agregó Oliver.

¡Cómo disfrutaba Miley ese momento! ¡La reconfortaba que sus amigos la defendieran con tanta firmeza! Pero entonces vio que su papá había aparecido por detrás de ellos. Al parecer, había escuchado todo porque tenía una expresión herida.

Miley observó a sus amigos, luego a Ashley y Amber y por fin a su papá. En algún momento había pensado que la mirada húmeda de perrito era algo insoportable. ¡Ahora toda la cara de su papá estaba invadida por la tristeza! ¿Qué había hecho ella para que la situación llegara a tal extremo?

Se quedó inmóvil, con la pelota de playa vacía entre los brazos y una sensación de profunda angustia. De pronto, comprendió que había hecho unas cuantas tonterías. ¿Valía la pena perderse una fiesta sorpresa especialmente organizada para ella por un… suéter con un gato? ¡¿Tenía sentido esconderse en un negocio y hacerse pasar por un maniquí, con el riesgo de poner en evidencia su identidad secreta, sólo porque no quería que su papá le comprara un regalo que no le gustara?! Miley no sabía qué pensar de sí misma. Debía demostrar que podía actuar de otra manera.

—Bueno… No me importa lo que piensen los

demás —dijo muy segura de sí y soltó la amorfa pelota de playa—. A mí… este suéter me encanta. Acabo de comprender que es así porque me lo regaló alguien a quien quiero mucho. Entonces, si tienen ganas de tomarme una foto, no hay problema. Este suéter significa para mí mucho más que el traje más *cool* del mundo. ¿No te parece, Pompón?

Miley presionó la trompa del gato. El suéter sabía hacerse entender.

"Miau."

—Guau —le dijo Amber a Ashley con expresión contrita—. ¿No crees que habría que pensarlo dos veces antes de tomar la fotografía?

Ashley asintió discretamente.

Sin embargo, cuando parecía que se iban a retirar, cambiaron de idea.

—¡Sonríe! —chillaron al mismo tiempo. La luz del flash hizo parpadear a Miley.

Grandioso, no sólo llevaba un suéter con un gato, también aparecía en la foto con los ojos cerrados.

Capítulo nueve

¡Roxy al rescate! Por fin, los drásticos métodos de la guardaespaldas tuvieron éxito.

Un momento después de que Amber y Ashley tomaron su humillante fotografía, apareció Roxy. Llevaba la barra que había recibido como premio en la competencia de "limbo" y que, de alguna manera, terminó bajo los tobillos de Amber y Ashley.

Todo el mundo sabía que Amber y Ashley pasaban el día entero juntas: comían juntas, iban de compras juntas y eran antipáticas juntas. Ahora, Miley las observó mientras tropezaban juntas. Salieron volando de sus sandalias de tacón alto y emitieron agudos chillidos mientras surcaban el aire. Miley esperaba que chocaran una contra otra. No fue así, lamentablemente. Se estrellaron contra Cooper y Jackson, que llegaban con el pastel de cumpleaños de Miley.

—¡Noooooooooooo! —aullaba Jackson a todo pulmón.

—¡Sí! —exclamó Roxy al ver que a la tonelada de maquillaje que llevaban Ashley y Amber en las caras se agregaba un baño de glaseado—. Eso les pasa por meterse con Roxy, la tigresa al acecho.

Cooper se había pasado la mayor parte del día riendo sobre pastel derramado. No fue así en este caso.

—¡Mi pastel! —se lamentaba. Sin embargo, al advertir que su tono era incriminatorio (¡nadie debía saber que era pastelero!) decidió recurrir a una excusa—. Ese pastel que traje, pero que no hice… porque los chicos no hacen esas cosas.

Mientras tanto, el señor Stewart había encontrado la solución al problema. Se acercó a Amber y Ashley y extrajo su teléfono celular con cámara de un bolsillo.

—¡Sonrían, señoritas! La cámara está a punto de atraparlas —dijo y les tomó una fotografía. Luego sonrió—. Ahora todos tenemos fotos. ¿Les interesa un intercambio?

Miley miró a su papá con una radiante sonrisa. Nunca se había sentido tan orgullosa.

Esa noche, cuando terminó la fiesta, Miley encontró a su papá sentado solo y mirando el océano.

—Papá —le dijo.

—Hola, corazón.

Miley se sentó a su lado.

—Gracias por la fiesta de cumpleaños. Estuvo espectacular.

—Y gracias a ti por lo que dijiste frente a todos. Pero ambos sabemos que compliqué un poco las cosas, ¿verdad?

Miley sintió que se le encogía el estómago. Su papá no había complicado nada. Había sido ella. Se esforzó por encontrar las palabras precisas.

—No es… Yo no… maúlla, papi.

—Te entiendo. Y lo más extraño es que vi un montón de ropa que seguramente te hubiera gustado mucho, pero por alguna razón no pude comprar.

Miley no alcanzaba a comprenderlo.

—¿Por qué? —preguntó—. Sabes qué ropa uso para ir a la escuela. Y me ves sobre el escenario como Hannah Montana.

—Tal vez sea por eso. Tengo la impresión de que estás creciendo muy rápido. Supongo que una parte de mí quiere aferrarse a esa niñita que eras.

El corazón de Miley se derritió como el glaseado de su pastel de cumpleaños bajo el sol de Malibú.

—Ay, papi. Siempre seré tu niñita —le aseguró—. Sólo quiero que tu niñita se vista mejor.

—Se me ocurre algo. Cuando vivía tu mamá, era ella quien se encargaba de comprar los regalos y mi tarea consistía en cargar las bolsas. Tal vez haya llegado el momento de que empiece a cargar tus bolsas.

A Miley le gustó la idea.

—Podría ser.

—Con una condición. Cuando abras tus regalos, ¿puedes seguir sorprendiéndote?

No era nada difícil para Miley. Incluso le demostró que podía quedarse muda de sorpresa.

—Perfecto —dijo el señor Stewart.

Mientras estaban allí sentados, contemplando las olas y pensando en todo lo que había sucedido ese día, se produjo un hecho extrañísimo: apareció un pelícano y comenzó a dar saltitos junto a ellos. Tal vez Miley sólo lo haya imaginado, ¡pero podría asegurar que ese pelícano tenía glaseado de azúcar en el pico!